El Soldadito

de Plomo

Ilustrado por Graham Percy

Erase una vez un niño que tenía una caja con veinticinco soldaditos de plomo. Todos eran iguales, menos uno que tan sólo tenía una pierna. Pero se sostenía de pie tan bien como los otros soldaditos con dos piernas.

Aquel niño tenía otros muchos juguetes, y el más grande de todos ellos era un castillo de cartón. Frente al castillo había un grupo de pequeños árboles y un lago con dos cisnes.

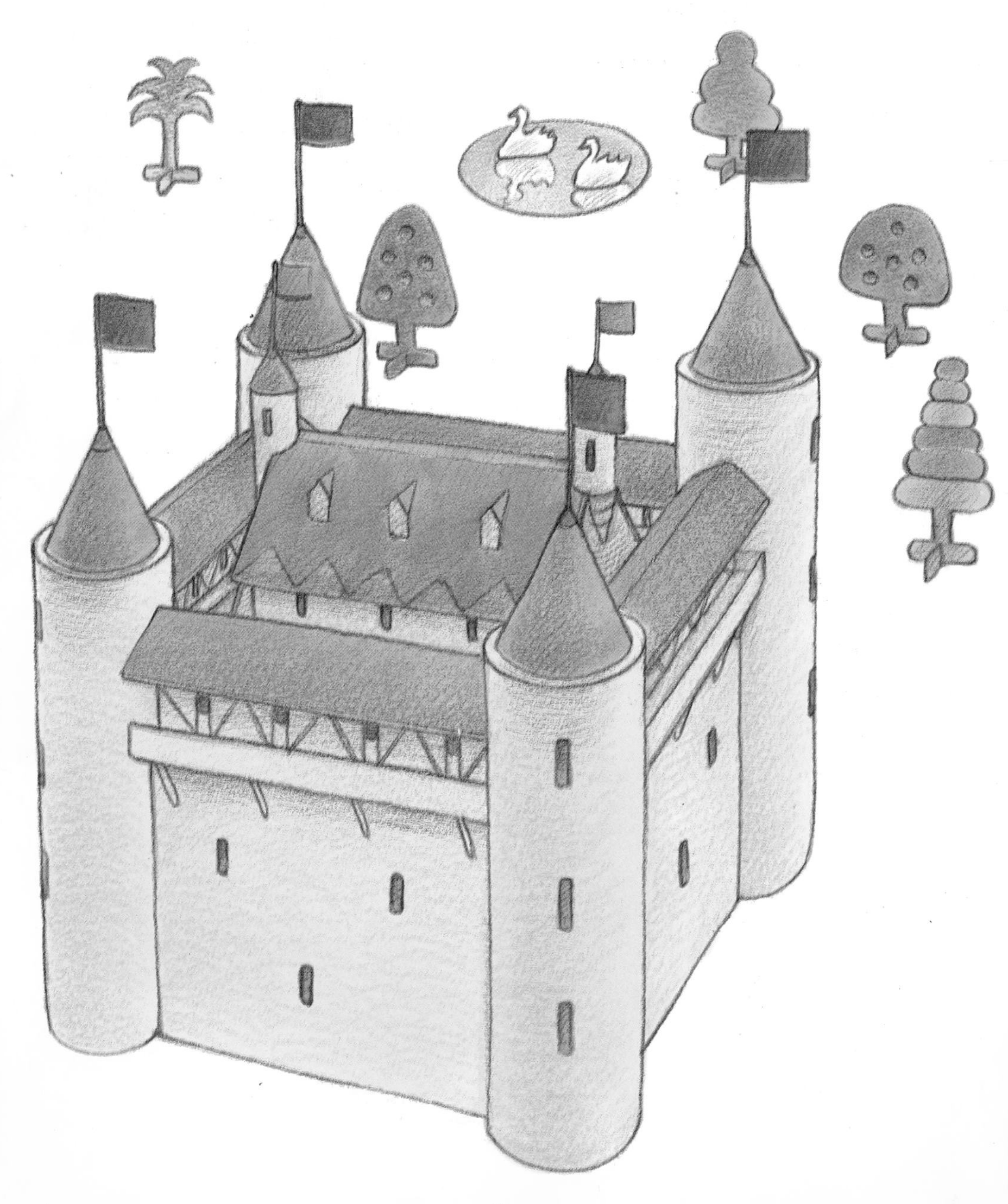

Al lado de la puerta del castillo estaba el más bonito de todos los juguetes: una bailarina de cartón. La bailarina llevaba un hermoso vestido de muselina, con una cinta azul que tenía un maravilloso adorno rosado.

La pequeña bailarina doblaba tanto la pierna que el soldadito de plomo no podía verla. Entonces, pensó que ella era como él y que sólo tenía una pierna.

«¡Qué encantadora sería mi vida junto a ella!», pensó el soldadito. «Pero ella vive en un castillo, y yo sólo tengo una caja de cartón, que comparto con otros veinticuatro soldaditos de plomo.»

Al llegar la medianoche todos los juguetes salieron a jugar. Entonces, de una caja saltó un muñeco que dijo al soldadito de plomo:

—¡Deja de mirar a la pequeña bailarina!

Y el soldadito de plomo no dijo nada.

—¡Muy bien! Pues espera hasta mañana —amenazó el muñeco.

Al día siguiente, el niño puso al soldadito en la repisa de su ventana. Inesperadamente, y nunca se sabrá si fue el viento o el muñeco de la caja que le empujó,

el soldadito de plomo cayó de la ventana a la calle empedrada.

Cuando dejó de
llover, dos niños que
jugaban en el
pequeño charco que
se había formado,
vieron al pequeño
soldado de plomo.
—¡Vamos a hacerle
un barquito de
papel! —dijeron.

Entonces pusieron al soldadito en
el barquito de papel. El soldadito
muy asustado, permaneció firme,
empuñando su fusil y mirando sin
vacilar hacia delante,

y el barquito de papel fue
navegando hasta llegar a
una grande y oscura
alcantarilla.

Todo estaba muy oscuro. «Si la pequeña bailarina estuviese conmigo, esto no sería tan terrible», pensó el soldadito.

De pronto apareció una enorme rata que, corriendo junto al barquito, preguntó:
—¿Dónde está tu pasaporte?
Entonces, el soldadito, sin contestar, empuñó su rifle con más fuerza que nunca.

La rata gritó a las ramas y cañas:
—¡Detenedlo, detenedlo! ¡No lleva pasaporte!

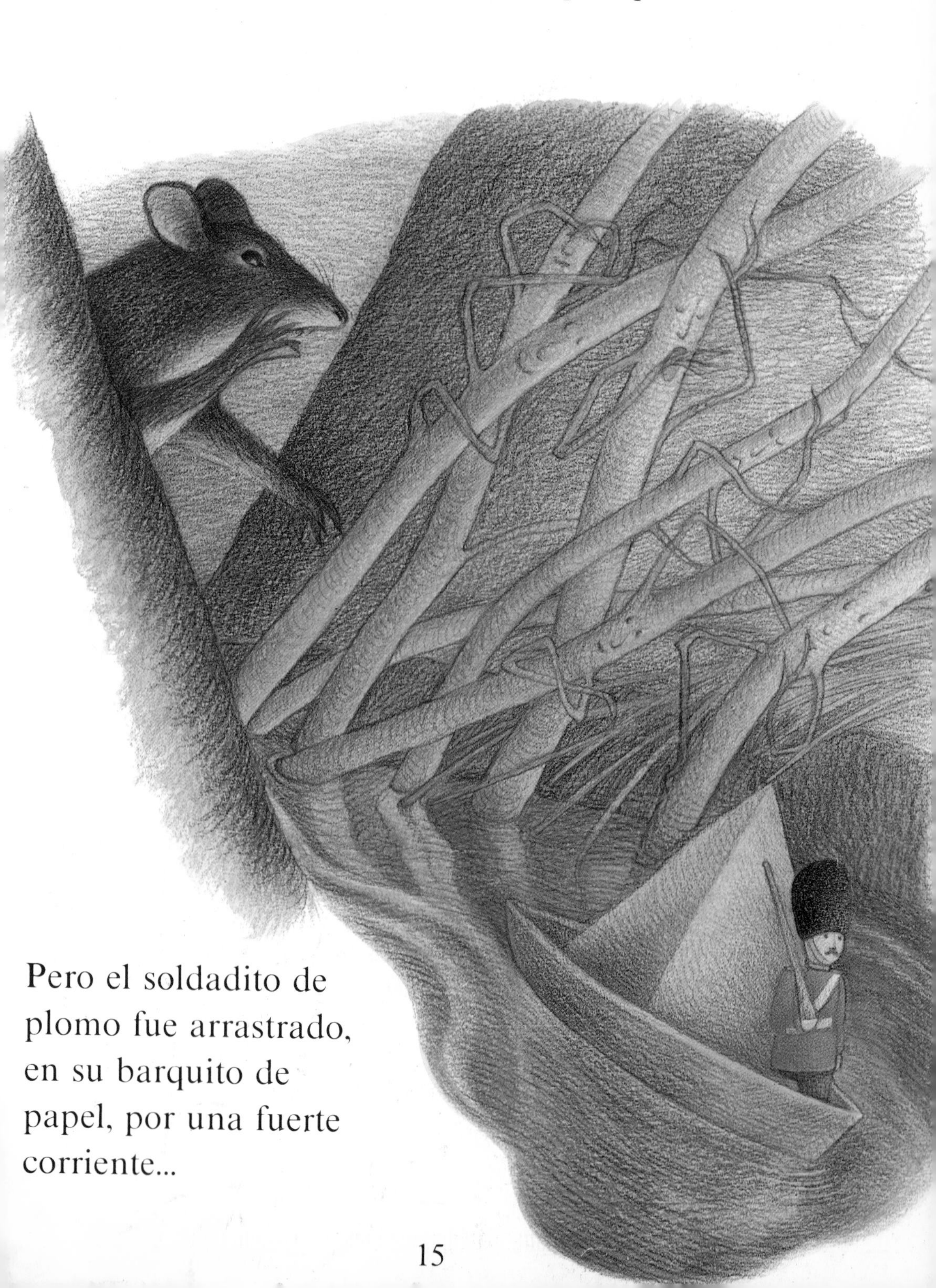

Pero el soldadito de
plomo fue arrastrado,
en su barquito de
papel, por una fuerte
corriente...

... hasta que vio la luz del día. La alcantarilla ya había quedado atrás, y ahora estaba en las aguas agitadas de un gran canal.

De repente, un remolino empezó a arrastrar al barquito de papel. Cuando el agua comenzó a entrar en el barco, el soldadito, firme y sereno, pensó: «Ya nunca más volveré a ver a mi preciosa bailarina.»

Y entonces, el soldadito de plomo empezó a dar vueltas y vueltas, hundiéndose cada vez más en el terrible remolino, cuando...

... ¡se encontró atrapado en el estómago de un gran pez!

Ahora, todo era más oscuro y estrecho, pero el valiente soldadito, tumbado en el vientre del pez, seguía firme y sujetaba con fuerza su fusil...

... cuando de repente el pez se retorció.

Estando todavía estirado y firme, una luz llegó a los ojos del soldadito: alguien había abierto el vientre del pez para comérselo.

¡Imaginaos la sorpresa que se llevó el soldadito!
cuando oyó que alguien decía:
—¡Si es el soldadito de plomo, si es el soldadito de plomo!

Y de esta manera volvió a la casa de la que había caído antes de comenzar todas sus desventuras.
La madre del niño que tantos juguetes tenía, había comprado previamente aquel pez.

Estaba otra vez de pie, firme como siempre, en la misma mesa y en la misma habitación.

A su lado, junto a la puerta del castillo, estaba la pequeña y encantadora bailarina. Ella seguía allí, de pie, tal como la recordaba. Se sintió tan feliz que tuvo ganas de llorar.

Los dos se miraron fijamente. Pero ni una sola palabra salió de sus bocas.

El niño, de repente, cogió al soldadito de plomo y lo tiró al fuego. Los niños suelen hacer estas travesuras.

El soldadito, en medio de aquel horrible calor, notó cómo se fundía lentamente. La preciosa bailarina y él se miraron a los ojos por última vez.

A pesar de todo él seguía firme, con su fusil al hombro.

Y entonces la puerta se abrió y entró una corriente de aire...

... que se llevó a la bailarina, que voló como si fuera una hada mágica...

... hacia el fuego donde el pobre soldadito de plomo se fundía, posándose junto a él. Entre una gran llama, la bailarina desapareció.

Al día siguiente, bajo las cenizas de la chimenea, el niño encontró al soldadito de plomo fundido en un corazón rojo.
En medio del corazón estaba lo que quedaba de la pequeña bailarina: su adorno rosado, ahora tan negro como las cenizas.

Impreso en APIPE Artes Gráficas
Sabadell - Barcelona (España)

D.L. B-35077-98
Impreso en C.E.E.